CO

CW00546878

© 2020 Giulio Einaudi editore s.p.a., Torino

www.einaudi.it

ISBN 978-88-06-24656-3

Patrizia Cavalli

VITA MERAVIGLIOSA

Giulio Einaudi editore

VITA MERAVIGLIOSA

Vita meravigliosa

Vita meravigliosa
sempre mi meravigli
che pure senza figli
mi resti ancora sposa.

Io guardo il cielo, il cielo che tu guardi
ma io non vedo quello che tu vedi.
Le stelle se ne stanno dove sono,
per me luci confuse senza nome,
per te costellazioni nominate
prima che il sonno scioglierà il tuo ordine.
Ah, sognami senza ordine e dimentica
i tanti nomi, fammi stella unica:
non voglio un nome ma stellarti gli occhi,
esserti firmamento e vista chiusa,
oltre le palpebre, splenderti nel buio
tua meraviglia e mia, immaginata.

Saliva le mie scale con una torva malinconia
brutale, io l'aspettavo fuori dalla porta
ma era cosí assorta nella sua ascesa
quasi rinocerontica mortale
che solo giunta in cima mi vedeva
improvviso bersaglio da incornare.
Allora io da matadora accorta
veloce mi spostavo e lei incornava
dritta al mio letto il vano della porta.

Continuazione dell'Eden

L'originale comunque non lo voglio
non voglio stare dove ogni momento
se sbagli possono cacciarti via.
Lo preferisco falso e permanente
dove la legge la decido io.
Abolirò memoria e nostalgia,
non ci sarà intenzione né immaginazione
ma un'aria mite e ferma che acconsente:
si morirà per noia, dolcemente.

Occupata da poveri pensieri
– la puzza di fritto, il freddo –
dov'è la mia anima,
dov'è la mia anima?

Senza sonno ma non sveglia,
torpida e irrequieta,
rassegnata ma querula,
è questa la mia anima?

Cuore fermo che non pensa
mente astiosa che non sente
non c'è nulla che mi accende.
Ma avrò davvero un'anima?

Cerco di ricordare
ma è un compito il ricordo,
colpa dell'orologio
che fa troppo rumore.

O è il tavolo di marmo
che certo non è caldo?
Ma l'anima è immortale
e quindi immateriale.

Se poi scopro che ho un'anima
noiosa quanto me,
faccio a meno dell'anima
mi accontento di me.

Quei gesti dati a noi in significanza
d'amore e di certissimo piacere
tu li trasformi per tiepida ignoranza
in esercizio stanco di mestiere,
e in parodia togliendoti al tuo bene
a me impedisci di gustarne il miele.

I nostri alberi non settentrionali
hanno foglie leggere e molto fitte,
vibranti nel dettaglio e pronte a rivelare
il loro lato argenteo, segreto,
solo sfiorate da un qualsiasi vento.
Senza peso sul ramo, ma ornamento,
sono le prime a muoversi, le ultime a star ferme
in quella oscillazione che acconsente
forte all'inizio e poi quasi incosciente.

Non c'era piú, anche se di solito spuntava
da ogni nebbia. Ma questa era una nebbia naturale
        o mia?
Con un'unghia raschiai un muschio grigio,
di cerchio in cerchio si era sovrapposto
al peperino e ambiva in sfumature
a farsi breccia d'Africa, non levigata,
che teneva in riserva i suoi colori.
Ma il suo colore – verde interiore, acido –
fu scalfittura e non levigatura
che lo scoprí. Gli ulivi intanto
si erano puliti della nebbia.
(Forse la nebbia era soltanto mia).
Si addensava lontano oltre il querceto
e non mi dava Orvieto, che aspettavo.
Era una nebbia a cumulo, potente
e concentrata, il vapore che segue
al fuoco spento, che sale bianco
ma ne mantiene l'empito. Tra poco
si sarebbe sciolto e a poco a poco
avrebbe liberato pure Orvieto. E fu cosí.
Ma era tutta grigia, rassegnata.
Era bruciata.

Quando la mia gattina tornava da una fuga
dopo una lite tra noi due
dava l'annuncio del ritorno
con tutto il suo corpo inaspettato
davanti a me atterrando da un volo
che aveva inizio fuori della stanza
per nascondermi il punto di partenza.
Accresceva la sua apparizione
aggiungendo la voce nel finale
ma dopo quattro passi regalati
svogliata se ne andava
come se non fosse mai arrivata.

C'era un modo sicuro per disinnescarmi:
tenermi tra le braccia e tanti baci,
baci e carezze e carezze e baci. E io
avrei balbettato suoni indecifrabili.

Con Elsa in Paradiso

Elsa ogni tanto ci portava in Paradiso.
E a chi chiedeva: «A me mi porti?» «No»,
lei subito, decisa, «Non c'entri niente tu.
Tu non ci puoi venire in Paradiso».
«E allora chi ci porti?» insistevano i delusi,
«Patrizia ce la porti?» E Elsa: «Sí,
Patrizia può venire in Paradiso».

Ah, come mi piaceva questo andare
facile, sicuro, senza dover competere!
Però, per non offendere, facevo
la distratta coi respinti. Anche se poi,
tra discussione e dubbi, un po' alla volta
venivano alla fine quasi tutti assunti.
Ma io – a parte i gatti, che stavano già lí
ad aspettarci – ero la prima, sempre,
la prescelta. Non mi chiedevo il motivo
di questa preferenza: da un lato
mi pareva naturale, dall'altro
pensavo fosse meglio
non mettersi a indagare. Del resto,
io a quei a quei tempi venivo ammessa ovunque:
ai pranzi, al cinema, a teatro, andavo
sempre bene con chiunque. Neanche
di questo mi chiedevo la ragione,
forse per questo avevo l'ammissione.

In quanto al Paradiso, a figurarmelo,
io non vedevo altro che il prato dove stavo,
come un vassoio che ci portasse
in alto, un po' inclinati e senza piú
le sedie, per cui ci si arrangiava

poco comodamente sopra l'erba.
Un'altra differenza era con gli alberi,
molto piccoli, qui, da miniatura,
e con le chiome composte e tondeggianti.
E poi c'erano i gatti, lenti, sul fondale,
che, finalmente belve, parevano piú grandi del normale.
Non c'era altro,
neanche mezza schiera di beati.

Ce ne stavamo lí, tranquilli, a chiacchierare,
le voci liete, senza mai un'asprezza
– persino Elsa teneva basso il tono –
le facce buone buone, intese a dimostrarsi ospiti
all'altezza del posto e del regalo. E anch'io pallidamente
simulavo, pur annoiandomi degli altri
e di me stessa, mentre qualcosa mi diceva
che essere prediletti può bastare in sé,
e che a volerne raccogliere i frutti
si può cadere in una scialba
sproporzione. Che c'entra, per Elsa
era diverso, aveva un'altra idea
del Paradiso, lei ci vedeva
innegabili vantaggi: andare senza borsa,
per esempio, o alla sera non lavarsi i denti.
Ma io non ero ancora cosí stanca
e preferivo i pranzi concitati, benché
tra me un po' mi vergognassi
di non avere spirito abbastanza
per trasognarmi nei piaceri alti.

Avrei piú tardi rimediato, quando
crescendomi la noia mia e degli altri,
sarei ricorsa al piú sfrenato immaginare
per abolire, non dico la realtà
ma ogni traccia di verosimiglianza.

E adesso mi stupisco quando penso
a tutti quegli ingenui andirivieni
tra un prato e l'altro dei nostri Paradisi
tra i quali io sceglievo il piú terreno
per fingermi l'amata, la prescelta,
chissà per quale grazia immeritata,
senza sapere che in realtà ero bella.

Il mio felice niente

Cosa non devo fare
per togliermi di torno
la mia nemica mente:
ostilità perenne
alla felice colpa di esser quel che sono,
il mio felice niente.

Avere il whisky in casa è un gran vantaggio,
in quattro sorsi passi dal peggio al meglio,
ogni parola splende e ne convieni
e i destini sfortunati li sollevi
all'esistenza nella gloria, o almeno
semplicemente a esistere cosí.
Questo dimostra che noi non siamo
quel che siamo, che il nostro essere
si accende quando è caldo, o si disperde
nel freddo buio della sobrietà.
Ma in ogni caso qui non si conclude
niente, è questo il bello, non si conclude
niente, per quanto vorrei dire
che sono soddisfatta di aver aperto
la bottiglia buonissima di whisky
che mi è costata tanto e che altrettanto
mi restituisce quel che deve – si tratta
di un Benrinnes novantasei, sedici
anni soli di vecchiaia, che non è niente
per un whisky con pretese, ma
che vi devo dire, a me mi ha steso
quasi felice, anzi, direi mi ha acceso
senza limite inoltrata non so
dove, di certo ora ubriaca.

Per due ore ho camminato in compagnia
per due ore ho raccontato del mio amore.
Per prendere respiro mi fermavo
spostando da me al cielo l'attenzione.
Grande architetta delle mie parole,
trasformavo il dolore in colpa mia.

Ancora? Ancora? Di nuovo? Davvero?
Sí, è cosí, è vero, ci credo,
ecco bellezza chiara, sí la vedo
meravigliosa uguale esultanza
con passo saldo e lucido io incedo
sempre uguale, se mi guardo indietro
sempre uguale lo spazio sereno
del bene certo offerto in esultanza.

Io qui presente, la tua solitudine
mi offende. Porterò via il mio corpo
lo metterò in viaggio
e nel trasporto, tra scosse di treni
e paure di voli, ritroverò la confidenza
materiale. Con altro peso allora
calpesterò la mattonella sconnessa
che, a metà strada verso la tua stanza,
con un suono leggero ti avvisava.
Ma tu protetta da questa dolce
ripetizione continuavi a leggere,
rimandavi a piú tardi ogni emozione.

La mia fatica è del pensiero quando
ti vuole mantenere anche sparita
agli occhi materiali che non sanno
vedere la tua faccia che m'invita.
Vero pensiero, non astratta mente,
per cui ogni giorno provo il mio valore
che se lo perdo perdo quel sapore
cosí forte, sicuro, che non mente.

Sono di mattina nevicata
dal calo bianco addormentato,
lasciando le spalle agli spigoli
aspetto i disegni involontari
le pieghe delle nuvole,
nei fermenti delle sedie
la nascita dei suoni.
Allora, sicura del vortice,
lascio che i versi si sciolgano
nell'incidente della rima
dove gli incontri si inteneriscono
e chiusi nell'apparente parentela
si concedono all'estasi.

Quel verde che, secondo gli studi sul cervello,
non dovrebbe in sé esistere, proprio non dovrebbe
se non nel nostro attrezzatissimo cervello,
è cosí bello, cosí assolutamente
irresistibilmente bello, ha sfumature
talmente nuove, talmente sconosciute,
che io non posso credere
che dipenda da me, dalle mie cellule.
Lui mi sorprende, esiste in sé e la luce
lo sorprende.

Lemme lemme in bicicletta se ne andava
stancamente pedalava,
avrà visto la mia sciarpa rosa ardente?

Falsamente me ne andavo alla conquista.
Di che cosa, avanti, dimmi, di che cosa?
Della sposa?
       Ah questo no, non della sposa.
Bene, allora di che cosa alla conquista?

M'inoltravo nella torre mostruosa.
Che cercavi, avanti, dimmi, che cercavi?
I conclavi?
       Ah questo no, non i conclavi.
Bene, allora perché mai era mostruosa?

Io partendo mi portavo i miei sicari.
Chi uccidevi, avanti, dimmi, chi uccidevi?
I tuoi allievi?
       Ah questo no, non i miei allievi.
Bene, allora perché andavi coi sicari?

Me ne andavo tutta nuda nella notte.
Per che fare, avanti, dimmi, per che fare?
Per scappare?
       Ah questo no, non per scappare.
Bene, allora perché nuda nella notte?

Me ne andavo senza mai poter partire.
Come mai, avanti, dimmi, come mai?
Per i guai?
       Ah questo no, non per i guai.
Bene, allora adesso vattene a dormire.

Cantava per le strade
e si inoltrava dentro le carezze,
la faccia era lo sprone delle brezze.
Cairo, Orvieto e le terrazze bianche
sospese e mescolate.

Ormai lo so
tu ami Sulpride,
che te ne importa di quel che sento,
ormai padrona
fuori e di dentro
fai ciò che vuoi
mi butti al vento.
Sulpride ride
lei sola ride.

Se posso perdonare, allora devo
riuscire a perdonare anche me stessa
e smetterla di starmi a giudicare
per come sono o come dovrei essere.
Qui non si tratta di consapevolezza
ma è la superbia che mi tiene stretta
in una stolta morsa che mi danna.
Eccomi infatti qui dannata a chiedermi
che cosa fare per essere perfetta.

Tenersi all'apparenza, forse descrivere
soltanto cose in mutua tenerezza.

Nell'ansia clandestina di ogni pomeriggio
quando il cielo, indeciso del suo destino
si apre nei risucchi azzurri
dove si addensano le nostalgie involontarie
i regni delle madri scure,
la piazza quasi spopolata
alloggia i terrori residui,
la comune sopravvivenza
del bicchierino. E la giornalaia
dentro la cornice ossessa trema
del continuo terrore dei piccoli ladri veloci
e a ogni passaggio e rumore si lamenta,
vede mani che si nascondono
e sente fruscii di carta stampata.
Ma immobile, come destinata
a mille trafitture, solo nella voce
ha una difesa. Vorrebbe qualcuno
che entrasse nella sua gabbia e mi chiama
per rivelarmi la mia vita.
Mi prende la mano accucciata
come un bersaglio caduto
e vede quel che non è mai esistito
rabbrividendo a ogni sua frase
quasi vantando una pazzia furtiva.

Con la mia nuova vista vedo
con gli occhi fatti d'acqua i galleggianti
oggetti del repertorio naufrago
incolore. Sembrerebbe domenica
ma è sabato. Inizia il tuo affaticatissimo
riposo. Porti a spasso le visite tu perno
del fermo movimento. Nello spoglio piazzale
ti muovi fra i traghetti, sculetti
per obbligo di essere fatale. A qualcuno va bene
a altri male. Ecco la stretta sicura
possente, basso ventre testa assente,
occhi stretti e muscoletti.

Potresti tu adesso stare qui
con la tua pancia grassa e io con la mia
e io avrei pietà di te e di me,
una pietà leggera che non piange,
ma ancora va all'amore sciolto e ride.

A chi parlo quando parlo da sola

Parla a se stesso il pazzo e si consola
e il santo parla solitario a Dio.
E io a chi parlo quando parlo da sola?
Parlo a qualcuno che non sono io

ma una platea vista di sbieco al volo,
mutevole a seconda del mio tono,
che non risponde mai, ascolta solo,
se la parola trova il giusto suono.

Questa muta assemblea inconcludente
che non fa petizioni, non si ostina
a voler controbattere e opinare,

mi anima di speranze la mattina:
avere un tale dono della mente,
poter parlare, e farsi anche ascoltare!

Mi ero incagliata dentro un cupo errore
dentro l'odore scuro del tuo corpo
dentro il silenzio del tuo cuore accorto.
Io tutti i giorni l'ho chiamato amore
e non sapevo di chiamare un morto.

Tu sei quel che si dice la mia musa.
Se non mi amusi piú
perdo ogni scusa.

Mi stendo calda nel Rinascimento
del mio cappello. Caldo cervello
orizzontale. Eppure non contento.
Infatti si alza, corre, va all'unguento
di un frigido pensiero verticale.

Era lí senza bene e senza male
aspettava il bene e il male,
aspettava nella stasi
bene o male calcolava
quanto tempo le restava
come rompere l'attesa
di questo persistere
in un'idea stanziale
che vuole sistemarsi in penitenza
eterna paura di esistere, pure
sapeva di non essere immortale.

Chiusi e sospesi tra correnti sparse
senza vedere mai la curva intera
del cielo, noi cittadini nei corridoi
fetidi, a noi la città non è riparo.
Acre novità della stagione, il freddo
ai piedi, preistoriche minacce.
Ecco allora che subito nel petto
preme il riflusso perduto degli abbracci,
e si ripete la recita del nome.
Settembre chiude, gli amici se ne vanno,
le famigliole stanno
e si apre il negozietto.

Si affossa il cielo basso dentro la mia testa
mi preme gli occhi e me li rovescia,
cosí grande è la forza cosí certa
che mi ruba un sorriso, segreta tenerezza.
Piego la testa e camminando ondeggio,
mi spinge il peso immenso giú verso la terra,
senza piú spazio e moltiplicazioni,
cosí attaccata circondata e chiusa,
non trova posto neanche una carezza.

Al mattino mi svegliano i pensieri
già predisposti delle mie rovine,
il tempo mi si stringe a un solo ieri
cosparso di dolcezze e di mammine.

Io mi stupisco del mio smemoramento,
faccio fatica a immettermi nel giorno.
Fuori fa freddo, tira un brutto vento,
io resto dentro e accendo stufa e forno.

Poi mi incoraggio e vado a fare un giro,
provo le gambe e i muscoli del viso
in cerca del mio stanco paradiso,
ma subito mi perdo nel respiro.

Torno modesta a casa a quel calore
dove dorme anche il gatto tricolore.

Cerco l'amore e mi tormento sempre,
ma non voglio l'amore veramente.

Cerco l'amore e non mi tormento affatto,
non verrà mai il mio cuore sopraffatto.

Cerco l'amore per essere punita,
cosí in anticipo vinco la partita.

Per quale errore di sensi e di memoria
mi ero fasciata dentro il tuo colore
scuro d'occhi e di pelle e scuro
di parole che si fermano in ombra
spaventate? Ero chiusa interrata in quella fossa
dentro il contorno umido e melmoso
delle tue labbra che vantano corrucci.
Per quale errore simile all'Errore
io riduco le grandi praterie all'erbetta
infelice che cresce nel tuo vaso
e riduco il teatro alla parrocchia?

Cerco i miei versi tra un tavolo e una sedia
nel bosco predisposto pei miei passi
mi apposto e aspetto quel suono che si forma
uscendo da un rumore senza forma.

La mia disperazione è la speranza,
io spero troppo e troppo spesso spero
ma è uno sperare fatto di incostanza,
giro la testa e mi ricala il nero.

Ora ogni oggetto ha trovato una dimora
si offre casto al tempo
e aspetta uno spessore dalla polvere.
Tu porti le valige, muovendoti
da una stanza all'altra traslochi una vestaglia
la crema le pantofole; di fronte alla carta
del mondo ti fermi a viaggiare: sei mesi
nel terzo mondo, tre mesi nel secondo
e gli altri tre passati a organizzare.
Per le strade domestiche odiose ti commuovi
staccando da un cofano le macchie sabbiose
venute dai deserti, stringendo gli occhi
ti sembra quasi di vedere quel segnale
che ti faccia sembrare la vita come tale.

Oggi l'azzurro del cielo traspira dalle nuvole
e si apre spazi sempre piú larghi. Ma dove
vanno poi a sciogliersi le nuvole? Domani
torneranno, conosco i loro nascondigli. Dopo anni
ritorno nella stanza,
due visioni identiche, conciliate nella distanza.
Queste due visioni sopprimono il mio tempo.
A quale delle due appartengo, alla copia
o al modello? Nell'ultima compare
qualche nuovo oggetto sullo scaffale,
ma già non mi sorprende piú, dopo un giorno
è ceduto alla memoria. Solo agli oggetti
appartiene la vita, essi misurano le distanze
e i riconoscimenti, restituiscono la forma invariata
dell'incanto, collegano e disperdono i sussulti,
sono la recita della prima emozione
quando il desiderio gigantesco
annulla ogni distanza, trova una cadenza,
un ritmo solitario che muove la mano, gli sguardi
e raggiunge involontariamente l'estasi. Allora
tutto si ferma e in questa esistenza
eterna il corpo trova un riposo trascurato,
inaccessibile ai rumori, cosí leggero
da sembrare quasi inesistente.

Languida e fiera, costretta al pigiama
che nel raso preannunzia sposalizi,
si spoglia a letto di imperi e di giudizi
per accogliere nuda chi non l'ama.

Vorrebbe alzarsi, la salute preme,
ma si piega alle visite e alla noia
perché in segreto stringe quella gioia
quando dovrà venire chi non viene.

La cupola bellissima adrianesca
ora è una gonfia e immobile minaccia
che le preclude la vista scontrosa

di quell'unico viso che l'adesca
e le confonde la divina traccia
per cui la carne in anima riposa.

Sono in preda all'effetto paradosso,
qui domina l'effetto paradosso –
mi rimbambisco di grappa e di tisane
calmanti che non calmano – c'è un cane,
e anche un ragno puntinato nero
velenosissimo in questo clima
rovesciato, ci sono crepe che nascondono
il bestiame.
Qua non si dorme non si può piú dormire
mi hanno svegliato all'inizio del mio sonno
quando il cervello è tenero e fecondo.

Settembre

Ecco il giorno e l'aspetta settembre,
il suo immobile ardore un po' fiaccato,
la languida estiva sbavatura. Eccomi.

Ai minuti, al facile perdono,
ai mercati scintillanti di materia,
all'invito innocente del mattino,
alla corsa, al gentile riposo.

Nell'aria imbambolata
facce bellissime passano per strada,
perduti amici miei li riconosco.

Il tempo senza tempo di settembre
si ripete, estate e infanzia
sono ancora insieme.

Distratta e stordita dal freddo
e dai rumori, ritrovo ora i stupori
a primavera. Accogliere le prime note
in attenzione e preghiera ascoltare,
raccogliere parole.

Sale la nebbia, vapore che condensa,
gli umori transitivi. Riunita in basso
a snodo di ventaglio, m'apro a ventaglio
e ascendo.

Ma basta insomma vieni cosa aspetti,
menti pure se vuoi, che me ne importa?
Mi basta che tu appaia alla mia porta
e con la voce scura sillabata
mi dica ancora quell'unica parola
che esiste solo quando è pronunciata.

Nella felice geometria del mare
spiegata dalla luna erano uguali
la montagna e il mare, cenerini.
Ma piú rotondo il mare che stringeva
la costa verticale nel profilo,
angolo esatto di trapezio piatto,
fermo siparietto al movimento
della palma che quasi superava
la montagna nel semplice progetto
del mio sguardo tutto levato in alto
verso un teatrale quasi estivo sabato.

Questa notte dormirai, te lo prometto,
nella chiusa cerimonia del mio letto.
E come il cielo mi promette tenerezza
– stretta da nuvole, bianca coperta –
io ti tolgo alla paura e all'incertezza.

Le strade in apparenza quasi uguali
che rigano il tuo immenso limitato
spazio: giunta alla fine quando le percorro
ho sempre nostalgia del loro inizio.
Mi estendo in superficie, mi dispiego,
città stenditi, ti abbraccio.

La notte di San Giovanni per mezz'ora
guardando il cielo fermo schermato dalle foglie
di un rampicante un po' ondeggiante staccato
dai sostegni, io sono stata nella doppia vista.
Niente e nessuno da ringraziare,
io ero in compagnia del mio sorriso.
Piú volte poi avrei voluto ritentare
quella grazia, ma a San Giovanni sempre
mi dimentico di mettermi in terrazza.

Di lei mi meraviglia ancora corpulenza,
è troppo alta è troppo grande
perché possa ridurla alla frequenza piccola
del tempo. Spazio sprigiona
e in lei si avvolge l'ombra
di quel che conquistato m'abbandona.

Quel niente misterioso della mente
senza memoria senza presente,
quel vegetare assorto nel proprio vegetare
chiuso cupamente nel suo stare.

«Ma almeno lei lo sa dove è diretta?»

Nel quartiere ricco borghese
dove seppure provvisoria abito
tutto dura di piú, persino i vecchi;
in questa città fatta per disfarsi
la vecchiaia vuole pensarsi eterna.
Le vecchie soprattutto benestanti
le incontro in autobus
e a una che va con due bastoni
la sento dire risentita a un'altra
non cosí vecchia, ma certo piú smarrita:
«La prossima volta però non esca sola!
Ma almeno lei lo sa dove è diretta?»

Poi mi trovo per caso in soccorso
a una cieca aggrappata a una vecchia
sulla stessa lastra di ghiaccio
perché cieca non vede che è vecchia
e le chiede soccorso. All'angolo le incontro
disperate, ognuna pericolo all'altra.
Sorreggo la vecchia, ma questa
mi dice: «Non io, non io, ma l'altra!»
e mi guarda ammiccando, lei salva,
non vista dall'altra.
Terribilmente attraversano la strada
contratte nell'impresa del semaforo
con gli occhi acquosi trascinando un cane
o trascinate, a volte parallele
se la fortuna le ha invecchiate insieme.

Alcune che hanno perso la ricchezza,
di primo mattino già subito truccate
la sigaretta lasciata tra le labbra

sottili, coi pantaloni stretti
senza cappotto lievi sul marciapiede
indecise se muoversi o restare
guardano e allungano una mano
nei grandi cesti aperti della spazzatura
per far qualcosa, tanto per far qualcosa
per controllare come va la vita.
Con quell'aria di cupo accanimento
fa spavento il cappello con la piuma
fresco di moda o sempre posseduto
e il rossetto che sbava in una fiamma.
Le piú ricche vanno in carrozzella
di solito per semplice stanchezza,
infermiere o assistenti, trovano sempre
qualcuno che le spinge. Ne ho vista una
a una mostra che gridava
per essere sospinta avanti e indietro
almeno dieci volte per la sala.
All'uscita poi mi ricompare
forte sicura, in piedi dritta
che s'infilava da sola la pelliccia.

Dal parrucchiere le vedo da vicino.
E il parrucchiere avvolge sei capelli
a bigodino. Sedute provvisorie e scomposte
la borsa stretta tra le ginocchia
il vestito che scopre carne di cosce,
si fanno strappare i peli delle sopracciglia,
tendono le mani alla manicure
disciplinate obbedienti a ogni tortura.
D'improvviso un lamento un urlo addirittura,
un'unghia tagliata troppo corta,
il casco caduto sulla testa.
Perché la manicure il parrucchiere l'infermiera
le trattano con spiccia ruvidezza
per vicaria vendetta contro la ricchezza
o perché contano su quell'anestesia

che la natura produce con il tempo
sui loro sensi lenti e disattenti
e poi a rovina si può aggiungere rovina,
«hai preso tanti colpi,
prendine un altro!»

Questa timidezza, questa nuova
timidezza, io non piú insediata
nel cuore di me stessa, questa
pudica modesta timidezza,
io non piú spettacolo a me stessa,
soltanto spettatrice un po' annoiata
di un nuovo malinconico miracolo
che mi smarrisce di consapevolezza.

Pensiero che non sente
non pensa veramente.
Solo un forte sentire
lo costringe a capire
la necessaria verità presente.

A me è maggio che mi rovina
e anche settembre, queste due sentinelle
dell'estate: promessa e nostalgia.

Che mi si prenda in uso, non mi offendo,
mi sembra anzi un vero privilegio
essere usata essendoci di meglio.

E me ne devo andare via cosí?
Non che mi aspetti il disegno compiuto
ciò che si vede alla fine del ricamo
quando si rompe con i denti il filo
dopo averlo su se stesso ricucito
perché non possa piú sfilarsi se tirato.
Ma quel che ho visto si è tutto cancellato.
E quasi non avevo cominciato.

In questa chiara confusione

Ma prima di morire
forse potrò capire
la mia incerta e oscura condizione.

Forse per non morire
continuo a non capire
sicura in questa chiara confusione.

Ah l'avessi saputo
che bastava un bacio per aprirmi le vie dell'universo:
stelle e pianeti che si incrociano
parlando, costellazioni intere
che si intessono.
E io in mezzo a loro che le guardo
tessile ordito ardente
che reggo, e non domando.

Ma valeva la pena di sognare
quel sogno cosí umile e ossequioso,
fermo al servizio di ogni mia paura,
copia stantia dei sogni dell'infanzia,
truffa e figura scialba del mio male
che già nel buio cominciavo a espiare,
colpa d'indifferenza e d'incostanza?

Io mi ricordo, già devo ricordare,
come ero ricoperta dal tuo viso
stendardo incastonato nel mio sguardo
che entrava nella vista di ogni cosa
come la screziatura di un cristallo.

Non si trattava di immagine o ossessione,
ma era il senso stesso del guardare
quasi che fosse una sostituzione
di ciò che guarda con la sua visione.

Fiduciosa dell'aria apro la finestra
e entrano inaspettate estranee
intimità. Questo primo tradimento
del mattino, questa sgarbata risposta
del cortile, feroce comunione!
Certo non sempre conviene stare in alto.

Ecco che già grandiosamente appare
soltanto per il gesto, per la memoria
soltanto d'inghiottire, il grande magazzino,
il magazzino fertile: sangue piú docile
corre per nutrire la parte vedovile
del cervello: tenero tenero si apre
e mi fa entrare. Io sono pronta,
non mi farò pregare. Sono già dentro,
stretta nel caldo amore a volta
di un'intima vibrante cupoletta.

Ogni interruzione di abitudine
è dolore. Una morte improvvisa
è violenta interruzione di abitudine.
La morte lenta è un lento
cambiamento di abitudine. Lento
dolore che si esercita all'evento.

Tutti i futuri morti sono già morti
abbandonati. E noi stessi presaghi
della nostra morte ci esercitiamo
con largo anticipo all'abbandono.

Quando il pensiero non è piú abitante
del tempo, perché un qualche terrore l'ha distolto
e perso il passo si muove fuori tempo
fino a cadere nello smarrimento,
allora d'improvviso si fa fermo
e diventa soltanto il suo presente
immenso immobile unico spavento
di esser quel che è, compagno al mondo.

Gloria perpetua alla fluoxetina,
la solerte messaggera dei neuroni.
Ora non piú scialbi e soli, l'uno all'altro
forestieri. Ora c'è
l'allegra vivandiera che li scalda.

La dolce notte scialba, il repertorio
sicuro ormai dell'ora meridiana
ancora stoltamente, ancora nel presente
un'unghia una campana,
tu suona io ascolto il suono, io non mi muovo
perduta dentro la mia amica insana.

La Pasqua saporita di agnelli e di colombe
che prima di mangiarli mi inginocchio.
Aprendo l'involto della carne
esitavo impaurita e poi trasfigurata
in agnelletta tenera, non c'era differenza
tra di noi, anch'io ero l'Agnus Dei.
Io però non mi offrivo, cucinavo,
cucinavo e poi mangiavo.

Poteva essere piú grande la mia vittoria?
Potevano esserci baci piú dolci,
parole piú appassionate?
Mi lasci tutto, mi regali tutto,
non conosci il mio segreto:
mi apri le porte dei giorni,
delle partenze e dei ritorni,
delle notizie chieste agli amici comuni,
delle visite improvvise, nei teatri,
nei ristoranti, in compagnia
d'altri piú belli vistosi disponibili:
persone delle quali chiederai i nomi
e la condizione.
Ah, come crescerà la mia leggenda:
ti arriveranno descrizioni di come
ridevo, di come parlavo: com'ero bella,
quanto ero spiritosa l'altra sera.
Ti ringrazio bionda mia bella:
non sai che regalo mi hai fatto a dirmi
«Non ti voglio vedere mai piú».

È cosí che arriva la pazzia, dimenticando,
mettendo tutto in ordine. Per quella forzatura
diligente che piano piano, eliminando i guasti,
pulisce gli scaffali, ordina i libri;
e quando ogni cosa è al suo posto
ogni cosa lí resta, al suo posto.
E il tempo si ripiega richiudendosi
nei giorni cassettini, e le notti
sono le cerniere arrugginite del ventaglio
e i pomeriggi si stringono alla sera
consolati dall'ora dei pasti dove resta
una qualche vaga presunzione del dopo.

Se mi si disfa... se mi si disfa
nel cuore la parola e non ho mente
per riaverla insieme...
È vita morta sopravvissuta a morte.
Le scale non salita pensierosa,
ma scale, solo scale faticate.
Basta un piccolo arco che si tende
da un suono all'altro, un arco
che comprende e ancora per un po'
io sono insieme.
Solo perché si anima
ancora per un po' la cognizione.
È feroce perversa crudeltà
tenere le parole separate.
Sturatemi le arterie, o sangue corri,
vai dove devi andare, scalda il cuore.

Ero nel non sapere tra spavento
e ebbrezza – incostituzionale –
mi chiedevo e tremavo.
Ora so che tu sapevi tutto.
Il gioco era sleale.

Sono obbligata spesso in umiltà
a piegarmi alla mia noia
alla sua semplicità.

Dovrò dare una paghetta alla mia musa,
perché non smetta mai di amusarmi.
Se non mi amusa piú che scusa trovo
per le mie commediole e pei miei drammi?

Era per toglierti alla mia memoria
che ti volevo chiusa tra le braccia:
impressionata carne senza storia
che si consuma in sé e non lascia traccia.

Condannata a essere umana

O buia e inabitabile dimora
recesso insuperabile dell'ozio!
Se cade in terra un foglio io non lo raccolgo
ma piango se non trovo l'oggetto che mi serve.
O stazione di piccole visioni, ogni immobilità
incanta e oltraggia i miei sensi che sognano
la corsa. Per vizio di immagini e pensieri
ho fatto tutto e non ho fatto nulla
ma stanchissima ricerco le poltrone.

Io condannata dunque a essere umana
per dare nomi a quell'oscuro centro
del quale sono parte involontaria.
Che sia soltanto mio o anche vostro
io non lo so, ma è lí e riconosco
che in quanto mio è forse pure vostro:
potere certo che non ha durata
nel tempo aperto, se ne sta nascosto,
ma io so che c'è, lo so da come smania.

C'è in noi, in ognuno, credo, questa specie
di estintore o di valvola che s'apre
togliendo ogni potenza a quel pensiero
che sa che cosa è il bene e cosa il male:
pensiero consapevole che ordina
in un chiaro giudizio temporale
le azioni da intraprendere o evitare.
Forse ciò accade per troppa combustione
di quel che viene inteso cerebrale.
E il fuoco del pensiero
pur stemperato trova altre strade,
ma contorte: invece di salire
scende con cenere bruciante verso
il cuore, che è pronto lí a raccogliere
i lapilli di un amore vulcano
in estinzione e a farne bei gingilli
da mostrare come prova suprema
di esistenza di quell'amore che in lui
trova proterva gioia di sistemazione, eterna.
Finché non verrà sciolto nella terra.

O femminista, sogno del potere,
parli di donne e diventi generale,
formi il tuo esercito con le spaventate
che spaventi di piú e ti sono grate.

Finite le sigarette, buttato via
il pacchetto, finito ogni strumento
per pensare. Andrò a dormire.
Ma mi rigurgita in testa qualche avanzo,
parole sfuse che andranno a galleggiare
nella stanzetta iperbarica del sonno
dove il pensiero avrà certo la meglio
su quella nicotina qui ormai priva di regno.

Piano piano, piano piano te ne vai,
non vuoi morire subito ma piano
vuoi scioglierti da me, passi la mano,
ma a chi? A chi? Chi c'è dopo di te?
Mi lasci in tristi mani, secche e dure,
deboli piogge, non più grandi uragani,
il giorno passa e siamo già a domani,
io casta e dissoluta.

Piú impaziente della mia impazienza
piú alta di ogni mio progetto
piú sicura della mia immaginazione
riconosco la tua apparenza.
Al suo avvento mi affido senza forze
tutto il tempo del giorno e della notte.
Non piú abitatrice dei miei regni
mi abita e trapassa i miei confini
un corpo senza fine trasognato.
O sensi troppo corti, lentezza dello sguardo!
Corro lungo i miei margini
e mi affatico agli argini.
Ah come contenerti?

Posso essere l'angelo che arriva
e ferma la mano di chi colpisce o offende,
ma non potrei in nessun modo mai pretendere
che non esista chi colpisce e offende.

Qualsiasi cosa, purché brillante,
che sia nella mia mente,
che io possa stabilmente immaginare,
io senza questa cosa non posso soggiornare
in questo noiosissimo opaco scuro ambiente.

Il lusso dei nostri giorni
dei nostri giorni di tutti
essere stanchi come se niente fosse
fare quei gesti uguali amatissimi,
e era ieri e era l'altro ieri,
sciupando tra i sbadigli le serate.

Festeggiamo e consoliamo
cos'altro noi facciamo?
Festeggiamo la vita
consoliamo la morte
o magari il contrario
cosí finché viviamo.

La morte vorrei affrontarla ad armi pari
anche se so che infine dovrò perdere,
voglio uno scontro essendo tutta intera,
che non mi prenda di nascosto e lentamente.

E mentre la salvavo la perdevo,
che per salvarla dovevo prima perderla
e perdere me stessa agli occhi suoi e miei.
Poi lei era lí, lontana ormai, ma intatta
e irraggiungibile, nell'innocenza offesa.
E io in basso, sola, nella colpa,
ora soltanto mia, sperando nel perdono
o nella redenzione dell'oblio.
Ricominciare, oh sí, ricominciare.

A volte, per un sonno interrotto,
per una confusione da stanchezza,
per un eccesso di veglia che mi sveglia,
io mi ritrovo attenta e involontaria
e persi i ricordi riacquisto la memoria.
E allora, io ormai incapace di cronologie,
tu oltrepassi felice la mia soglia.

Dolce riposo imperatore e casto.
Stilla e fruscia il cuore
aspro, non aspro anzi
ma forse solo stanco.
E che faremo poi e poi?
Quello che avviene non è
soltanto mio, io sono qui
ancora, forse qualcosa ancora
mi placa o mi addolora.

Con devozione invoco la vendetta
che ti farebbe uguale a me, se esiste
il dio ormonale. Nient'altro voglio
che vederti stretta dentro il mio stesso
male. Allora capiresti qual è la differenza
tra un po' di noia e il morbo atrabiliare.
Altro che differenza sessuale!

Stupidi nervi orribili e inferiori,
padroni del dolore e del piacere
eppure servi sempre risentiti,
vulnerabili e tanto delicati
sempre pronti a contrarsi spaventati,
a ogni offesa cosí vendicativi.

Sarebbe sopportabile ogni male
se non ci fosse l'interpretazione,
sarebbe quel che è, non quel pugnale
che uccide e vuole pure aver ragione.

Indice

Vita meravigliosa

Il mio felice niente

A chi parlo quando parlo da sola

Settembre

In questa chiara confusione

Condannata a essere umana

Stampato per conto della Casa editrice Einaudi
presso ELCOGRAF S.p.A. - Stabilimento di Cles (Tn)

C.L. 24656

Ristampa   Anno

   1   2   3   4   5   6   2020   2021   2022   2023

Ultimi volumi pubblicati

461. Michele Mari, *Dalla cripta*.

462. Marina Cvetaeva, *Sette poemi*. A cura di Paola Ferretti.

463. Tommaso Giartosio, *Come sarei felice. Storia con padre*.

464. Emily Dickinson, *Questa parola fidata. Terza centuria*. A cura di Silvia Bre.

465. Ottavio Fatica, *Vicino alla dimora del serpente*.

466. Antonio Prete, *Tutto è sempre ora*.

467. Alda Merini, *Confusione di stelle*. A cura di Riccardo Redivo e Ornella Spagnulo.

468. Jan Wagner, *Variazioni sul barile dell'acqua piovana*. Traduzione di Federico Italiano.

469. Mariangela Gualtieri, *Quando non morivo*.

470. Cesare Viviani, *Ora tocca all'imperfetto*.

471. Aldo Nove, *Poemetti della sera*.

472. *Poeti giapponesi*. A cura di Maria Teresa Orsi e Alessandro Clementi degli Albizzi.

473. Laura Accerboni, *Acqua acqua fuoco*.

474. Andrea Bajani, *Dimora naturale*.

475. Paolo Volponi, *Poesie giovanili*. A cura di Salvatore Ritrovato e Sara Serenelli.

476. Elisa Biagini, *Filamenti*.

DP 0220847203

3700001FPU
VITA
MERAVIGLIOSA
CAVALLI PATRI

1ª RIST-POE
EINAUDI